Moje polskie rymowanki

Tradycyjne polskie rymowanki dla przedszkolaków i ich rodziców

MARTEL

Szanowni Rodzice,

Oddajemy w Wasze ręce zbiór polskich rymowanek
i wierszyków znanych każdemu z nas z własnego dzieciństwa,
a które warto przekazać pociechom.

Rymowanki nie tylko gwarantują świetną zabawę z naszymi
maluszkami, ale też uczą, a niektóre nawiązują do ciekawostek
ze świata zwierząt. Wielokrotnie powtarzane ćwiczą pamięć
i wymowę.

Z pewnością przydadzą się też do przedszkolnych recytacji,
a kolorowe ilustracje i łatwo zapadające w pamięć rymy,
przypadną do gustu każdemu dziecku.

Życzymy miłej zabawy i zapraszamy do wspólnego
rymowania!

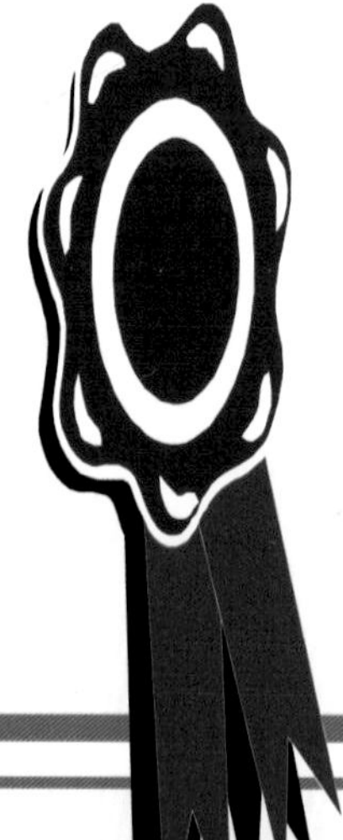

- Kto ty jesteś?

- Kto ty jesteś?
- Polak mały.

- Jaki znak twój?
- Orzeł biały.

- Gdzie ty mieszkasz?
- Między swymi.

- W jakim kraju?
- W polskiej ziemi.

- Czym ta ziemia?
- Mą ojczyzną.

- Czym zdobyta?
- Krwią i blizną.

- Czy ją kochasz?
- Kocham szczerze.

- A w co wierzysz?
- W Polskę wierzę.

- Coś ty dla niej?
- Wdzięczne dziecię.

- Coś jej winien?
- Oddać życie.

Władysław Bełza

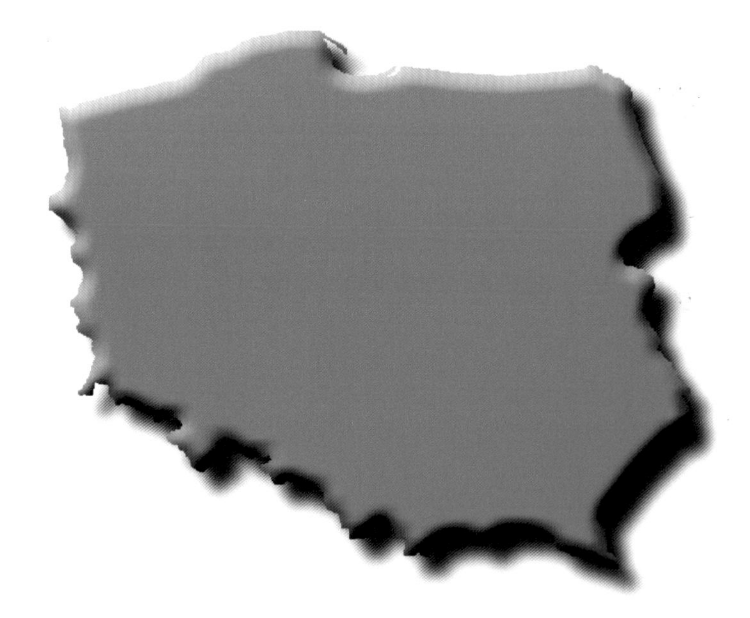

Stary niedźwiedź mocno śpi

Stary niedźwiedź mocno śpi.
Stary niedźwiedź mocno śpi.

My go nie zbudzimy,
Bo się go boimy,
Jak się zbudzi, to nas zje,
Jak się zbudzi, to nas zje.

Pierwsza godzina – niedźwiedź śpi.
Druga godzina – niedźwiedź chrapie.
Trzecia godzina – niedźwiedź łapie.
Stary niedźwiedź mocno śpi.
Stary niedźwiedź mocno śpi.
My go nie zbudzimy,
Bo się go boimy,
Jak się zbudzi, to nas zje,
Jak się zbudzi, to nas zje.

Jakie znamy misie?

Miś polarny

Czy wiesz, że miś polarny spędza większość czasu w wodzie lub na krach lodowych i nie zapada w zimowy sen.

Miś brunatny

Czy wiesz, że misie poruszają się zwykle powoli, ale dobrze biegają, pływają, a niektóre nieźle wspinają się na drzewa.

Koala

Czy wiesz, że koala, popularnie zwany „misiem koala” nie jest niedźwiedziem. Koala to gatunek torbacza, który mieszka na drzewach i schodzi na ziemię tylko po to, by przejść na kolejne drzewo. Uwielbia eukaliptus.

Panda

Czy wiesz, że panda bardzo lubi wspinać się na drzewa, a jej ulubionym pożywieniem jest bambus. Niestety panda należy do zwierząt zagrożonych wyginięciem i aby ją chronić, tworzone są specjalne rezerwaty.

Chodzi lisek koło drogi

Co wiemy o lisach?

Chytry jak lis

Czy wiesz, że lisy są uważane za bardzo sprytne i przebiegłe zwierzęta? Lisy są bohaterami wielu bajek i przysłów. W bajce Ezopa chytry lis oszukuje kruka, a najsławniejsze powiedzenie to „chytry jak lis”.

Puszysty ogon

Czy wiesz, że wszystkie lisy mają bardzo puszyste ogony? Długość ogona to zazwyczaj 28-40 cm.

Nocna zmiana

Czy wiesz, że lisy są aktywne po zmroku i w nocy. Lubią natomiast odpocząć w ciągu dnia.

Sportowiec

Czy wiesz, że lis w biegu może osiągać szybkość 40 km/h. W wysokiej trawie wyskakuje w górę, by móc się rozejrzeć.

Lis polarny

Czy wiesz, że lis polarny latem ma ubarwienie brązowo-szare, a zimą śnieżnobiałe?

Jadą, jadą misie

Jadą, jadą misie,
tra la, tra la la,
śmieją im się pysie,
ha ha ha ha ha.
Przyjechały do lasu,
narobiły hałasu,
przyjechały do boru,
narobiły rumoru.

Jadą, jadą misie,
śmieją im się pysie.
A misiowa jak może
prędko szuka w komorze.
Plaster miodu wynosi,
pięknie gości swych prosi.
Jadą, jadą misie,
śmieją im się pysie.
Zjadły wszystkich
plastrów sześć
i wołają
„dajcie jeść”!

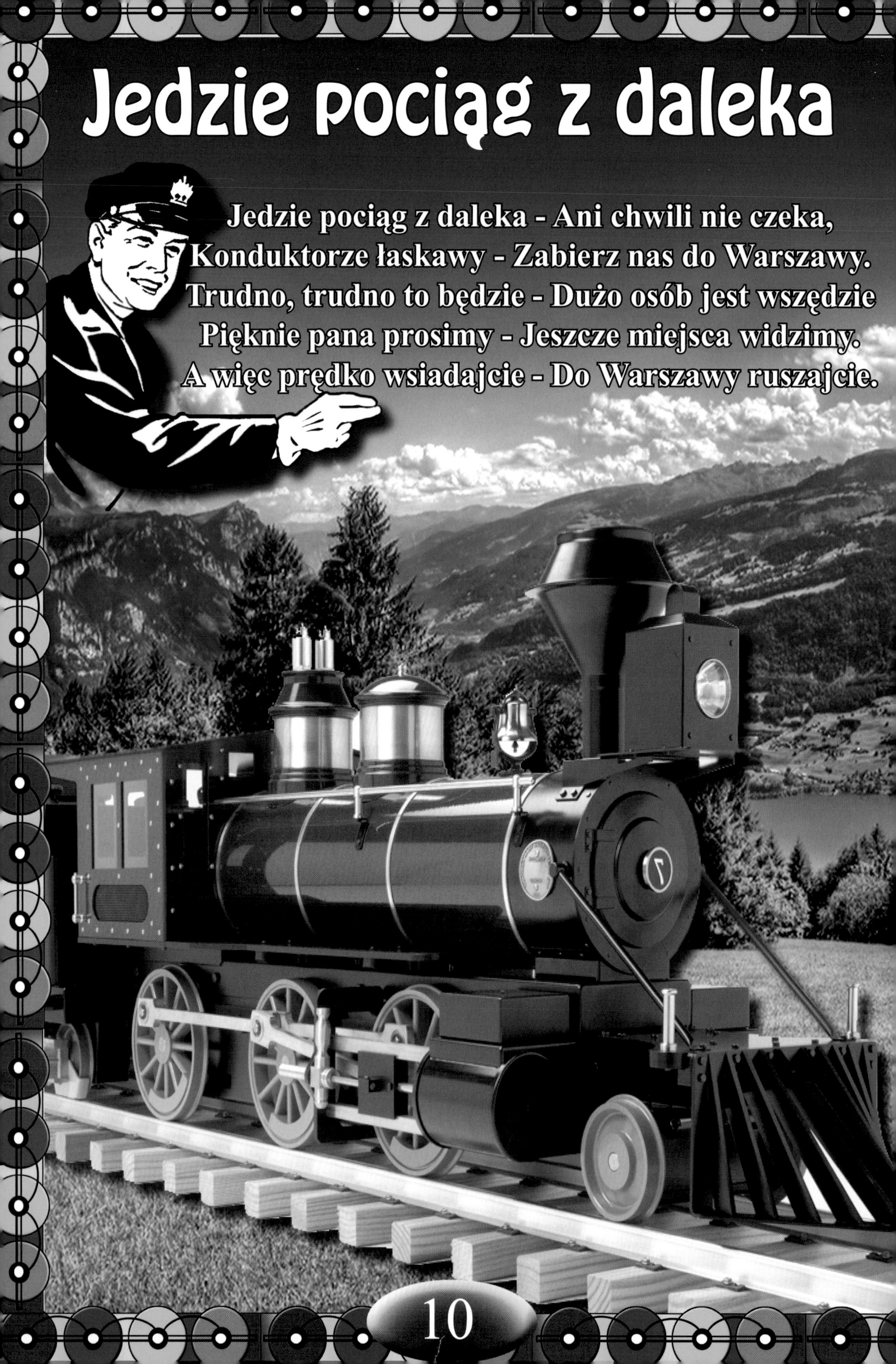

Jedzie pociąg z daleka

Jedzie pociąg z daleka - Ani chwili nie czeka,
Konduktorze łaskawy - Zabierz nas do Warszawy.
Trudno, trudno to będzie - Dużo osób jest wszędzie
Pięknie pana prosimy - Jeszcze miejsca widzimy.
A więc prędko wsiadajcie - Do Warszawy ruszajcie.

Warszawa

Czy wiesz, że Warszawa – stolica Polski jest też największym miastem Polski. Warszawa leży nad rzeką Wisłą. Legenda mówi, że nazwa miasta wywodzi się od imion rybaka Warsa i jego żony Sawy. Symbolem Warszawy i częścią jej herbu jest Warszawska Syrenka.

Legenda o Warszawskiej Syrence

Dawno, dawno temu przypłynęły z Atlantyku na Bałtyk dwie siostry – syreny; piękne kobiety z rybimi ogonami. Jedna z nich dopłynęła do wielkiego portu Gdańsk, a potem Wisłą popłynęła w górę jej biegu. U podnóża dzisiejszego Starego Miasta, wyszła z wody, aby odpocząć. Tak bardzo jej się tam spodobało, że postanowiła tam zostać. Pewnego razu bogaty kupiec zobaczył syrenę i usłyszał jej piękny śpiew. Postanowił ją uwięzić i pokazywać na jarmarkach za opłatą. Podstępem uwięził syrenę bez dostępu do wody. Syrenka płakała, a jej płacz usłyszał syn rybaka i uwolnił ją. Syrenka mimo wszystko pokochała nadwiślański lud. Obiecała mieszkańcom Warszawy, że w razie potrzeby mogą liczyć na jej pomoc. Z tego właśnie powodu Warszawska Syrena jest uzbrojona – ma miecz i tarczę, aby mogła bronić miasta.

Krasnoludki

My jesteśmy krasnoludki,
Hopsa sa, hopsa sa.
Pod grzybkami nasze budki,
Hopsa sa, hopsa sa.
Jemy mrówki, żabie łapki,
Oj, tak tak, oj, tak tak!
A na głowach krasne czapki,
To nasz znak!

Gdy kto zabłądzi,
to trąbimy
Tru tu tu, tru tu tu!
Gdy kto śpiący,
to uśpimy
Lu lu lu, lu lu lu.

Królewna Śnieżka i Siedmiu Krasnoludków

Na życie pięknej królewny dybie zła macocha-czarownica, zazdrosna o jej urodę. Początkowo każe ją zabić myśliwemu, a na dowód wykonania rozkazu chce dostać serce Śnieżki. Myśliwy lituje się nad dziewczyną i zostawia ją w lesie, dostarczając na zamek serce zająca. Śnieżka znajduje w lesie domek, należący do krasnoludków i zamieszkuje z nimi. Zła macocha dowiaduje się jednak, że Śnieżka żyje i, zmieniając postać, trzy razy usiłuje ją zabić. Dwukrotnie królewnę ratuje przybycie krasnoludków, za trzecim razem Śnieżka zjada połowę zatrutego jabłka. Zrozpaczone krasnoludki, myśląc, że nie żyje, układają ją w szklanej trumnie. Przejeżdżający nieopodal książę, zachwycony urodą dziewczyny, błaga, by krasnoludki podarowały mu ciało Śnieżki. Podczas poruszenia trumny Śnieżce wypada z ust zatruty kawałek jabłka i budzi się ona do życia. Książę natychmiast się jej oświadcza. Zaproszonej na wesele macosze ze złości pęka serce.

Czy znasz imiona krasnoludków?
Mędrek, Gburek, Apsik, Płaczek, Śpioszek, Gapcio, Nieśmiałek

Baloniku mój malutki

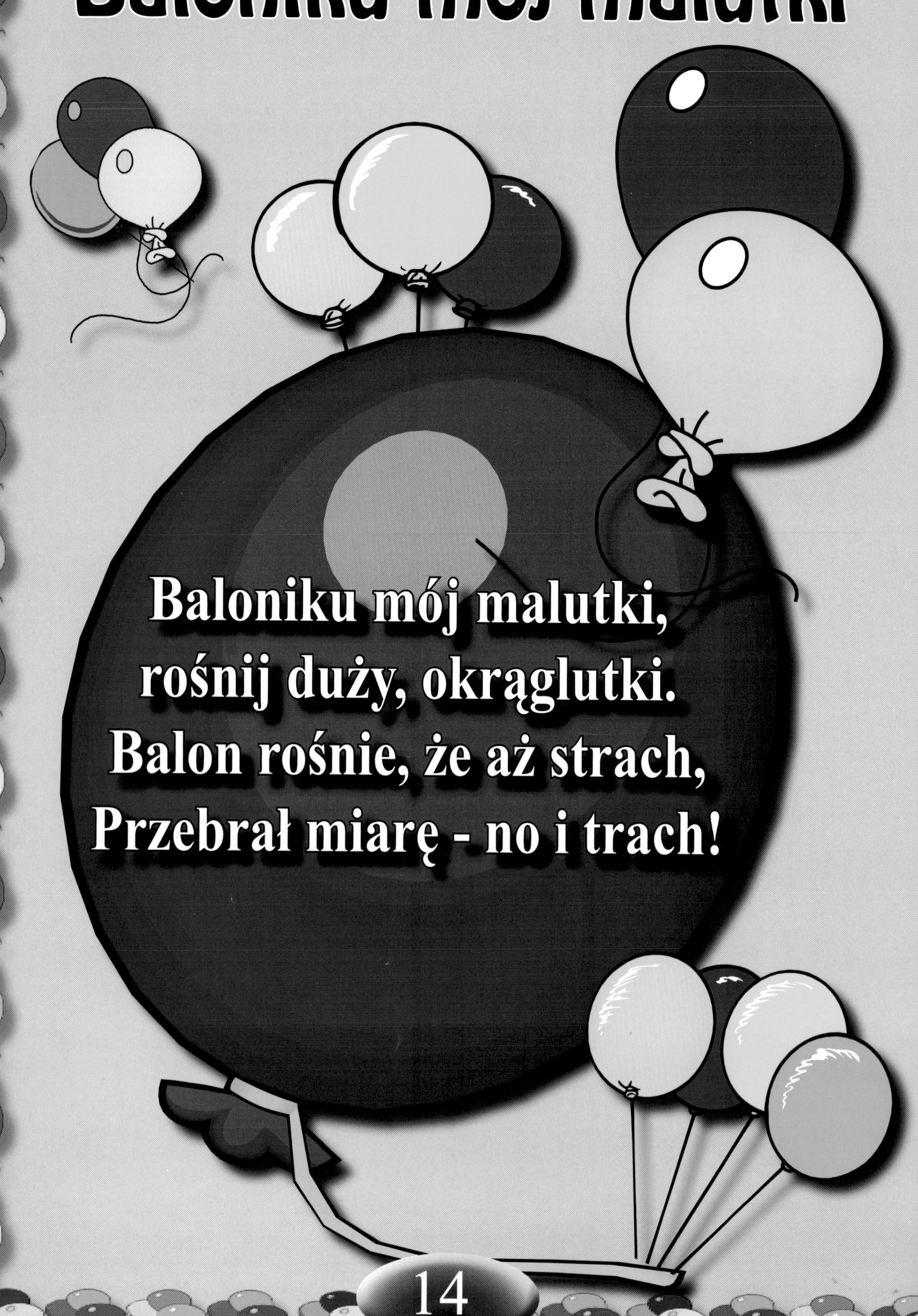

Baloniku mój malutki,
rośnij duży, okrąglutki.
Balon rośnie, że aż strach,
Przebrał miarę - no i trach!

Kolory baloników
niebieski
żółty
zielony
czerwony
różowy

Krakowiaczek jeden

Krakowiaczek
jeden
Miał koników
siedem,

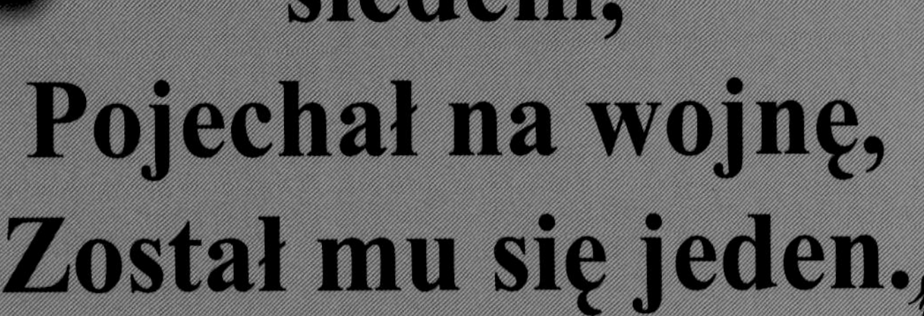

Pojechał na wojnę,
Został mu się jeden.

7

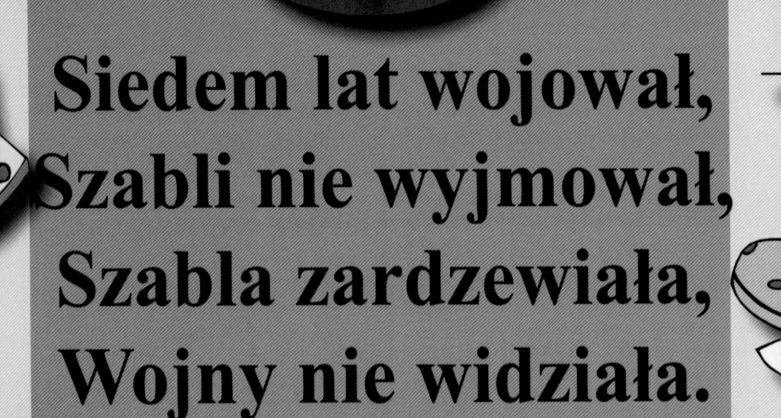

Siedem lat wojował,
Szabli nie wyjmował,
Szabla zardzewiała,
Wojny nie widziała.

Krakowianka jedna,
Miała chłopca z drewna,
A dziewczynkę z wosku,
Wszystko po krakowsku.

Krakowiaczek ci ja,
krakowskiej natury,
kto mi wejdzie
w drogę,
ja na niego z góry.

Krakowiaczek ci
ja,
któż nie przyzna
tego,
siedemdziesiąt
kółek,
u pasika mego.

Krakowiaczek ci
ja,
z czerwoną
czapeczką,
szyta
kierezyja,
bucik
z podkóweczką.

Gra mi wciąż
muzyka,
a kółka trzepocą,
jak małe księżyce
w blasku się migocą.

Mało nas

Mało nas,
mało nas
Do pieczenia chleba,
Jeszcze nam
Kogoś tu trzeba.
Dużo nas, dużo nas
Do pieczenia chleba
Więc już nam
Ciebie nie potrzeba.

Imiona dzieci

Miała baba koguta

Miała baba koguta,
Wsadziła go do buta,
siedź!
O mój miły kogucie,
Jakże ci tam w tym bucie
jest?

Miała baba indora,
Wsadziła go do wora,
siedź!
O mój miły indorze,
Jakże ci tam w tym worze
jest?

Miała baba kokoszkę,
Wsadziła ją w pończoszkę,
siedź!
Moja miła kokoszko,
Jakże ci tam w pończosze
jest?

Zwierzęta na wsi

koza

owieczka

cielaczek

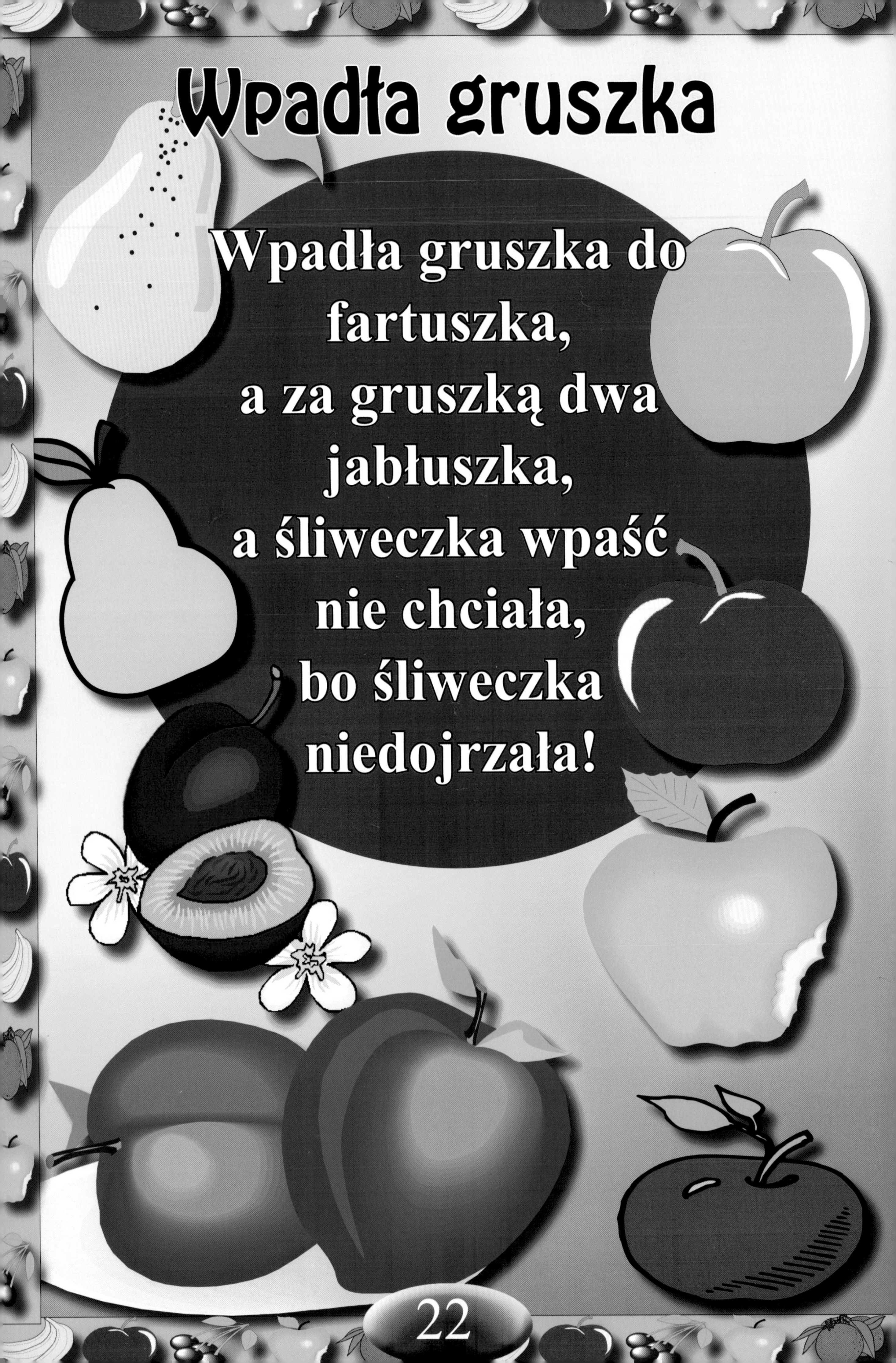

Wpadła gruszka

Wpadła gruszka do
fartuszka,
a za gruszką dwa
jabłuszka,
a śliweczka wpaść
nie chciała,
bo śliweczka
niedojrzała!

Jakie znamy owoce?

jabłka

banany

pomarańcze

wiśnie

truskawki

Mam chusteczkę haftowaną

Mam chusteczkę
haftowaną,
Co ma 4 rogi,
Kogo kocham,
kogo lubię,
Rzucę mu pod nogi

Tego kocham,
tego lubię,
Tego pocałuję
A chusteczkę
haftowaną
Tobie podaruję!

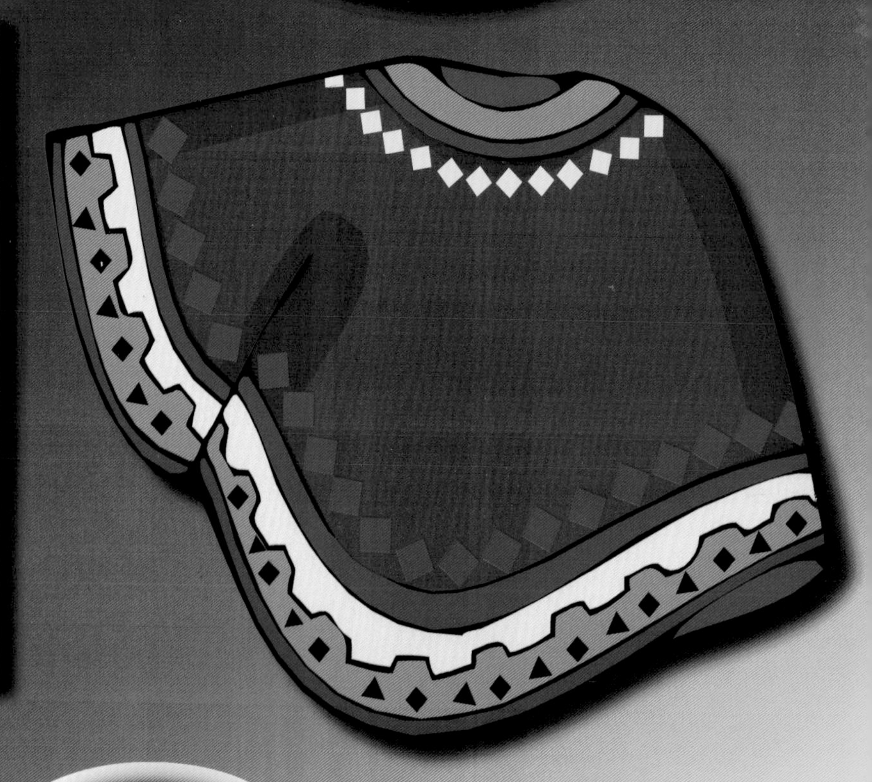

W pokoiku na stoliku

W pokoiku na stoliku
stało mleczko i jajeczko.
Przyszedł kotek, wypił
mleczko, a ogonkiem
stłukł jajeczko.

Przyszła pani, kotka zbiła,
a skorupki wyrzuciła.
Przyszedł tata,
kotka schował,
a mamusię pocałował.

Ojciec Wirgiliusz

Ojciec Wirgiliusz
Uczył dzieci swoje,
A miał ich wszystkich
Sto dwadzieścia troje.

Hejże dzieci, hejże ha!
Hejże ha, hejże ha!
Róbcie wszystko co i ja,
Co i ja.

Cyferki

1

2

3

4

5

Tańcowały dwa Michały

Tańcowały dwa Michały,
Jeden duży, drugi mały
Jak ten duży zaczął krążyć
To ten mały nie mógł zdążyć.

Tańcowały dwa Michały,
A za nimi rak i krab!
Michały się przewróciły,
A rak uciekł w krzak!

Tańcowały dwa Michały,
A za nimi kot, kot!
Michały się przewróciły,
A kot smyk przez płot!

Jakie znamy tańce?
balet
tango
taniec brzucha
flamenco
rock'n'roll

Ślimak

Ślimak, ślimak, wystaw rogi,
dam ci sera na pierogi,
jak nie sera, to kapusty
- od kapusty będziesz tłusty.

Co wiemy o ślimakach?
Gdzie mieszkają ślimaki?
Czy wiesz, że ślimaki żyją w wodzie i na lądzie? Dobrze czują się w lasach, w ogrodach, wodach słodkich, morzach, a najbardziej uwielbiają wilgotne, podeszczowe środowisko.
Muszla
Czy wiesz, że muszla ślimaka pełni bardzo ważną funkcję ochronną? Chroni go przed zimnem, innymi zwierzętami, utratą wody. Muszla ślimaka to jego dom.
Obiad ślimaka
Czy wiesz, że ślimaki najbardziej lubią jeść rośliny, grzyby, warzywa, owoce, kwiaty, a czasami zioła? Najlepszą porą na jedzenie dla ślimaka jest noc lub deszczowy dzień.

Rodzinka

Ten duży to dziadziuś,
A obok babusia,
Największy to tatuś,
A przy nim mamusia,
A to dziecinka mała,
Oto rodzinka cała.

Moja rodzina
Dziadek
Babcia
Mama
Tata
Siostra
Ja
Brat
Mój pies
Mój kot

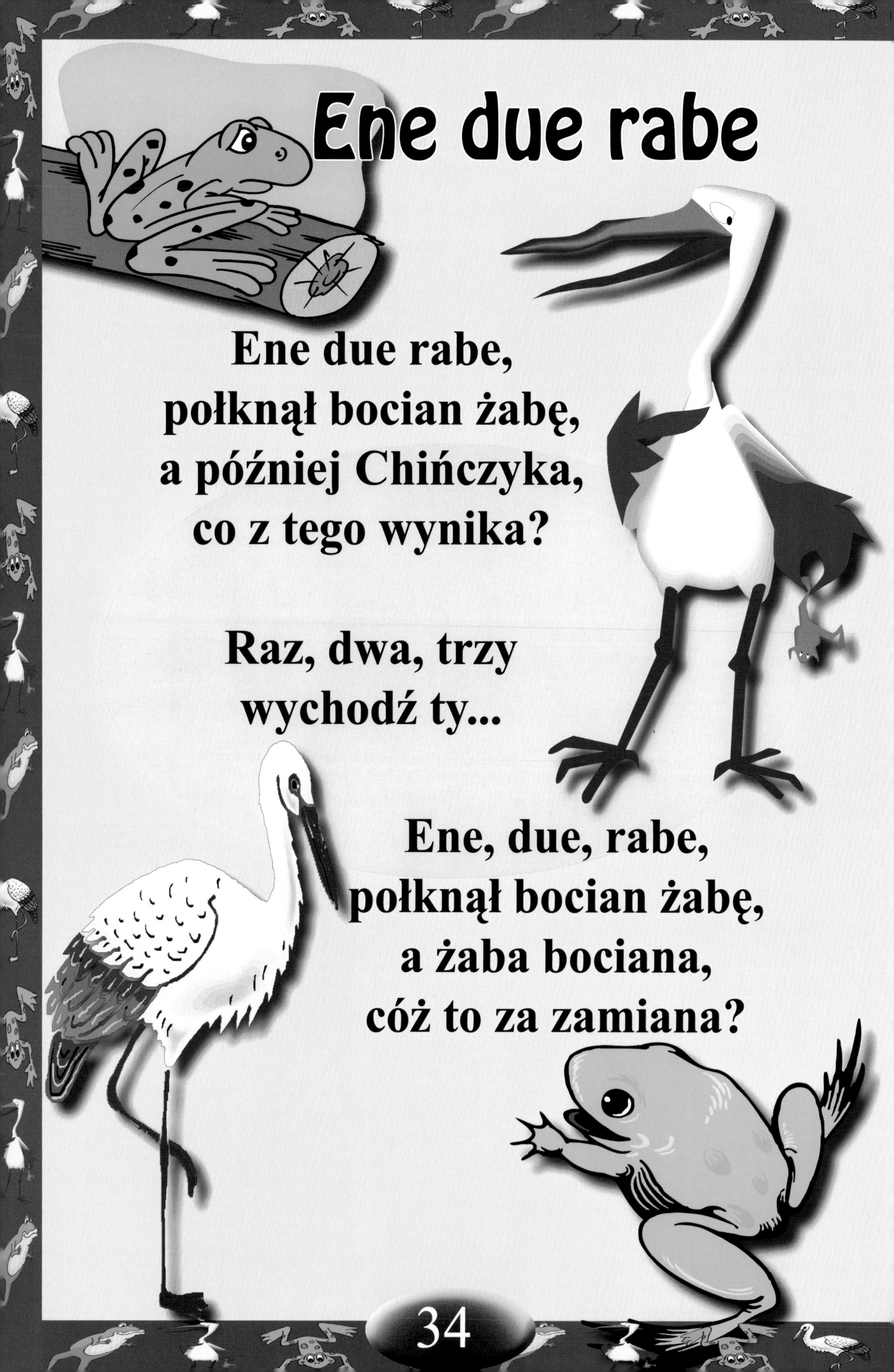

Ene due rabe

Ene due rabe,
połknął bocian żabę,
a później Chińczyka,
co z tego wynika?

Raz, dwa, trzy
wychodź ty...

Ene, due, rabe,
połknął bocian żabę,
a żaba bociana,
cóż to za zamiana?

Żaby i bociany

Co bociany lubią na obiad?

Czy wiesz, że bociany lubią jeść mięsko? Ich ulubionym daniem są owady. Nie przepadają natomiast za żabami.

Żabi obiad

Czy wiesz, że żaby lubią jeść dżdżownice, pająki, owady, a nawet małe ślimaki? Pamiętaj, że żaba wodna jest w Polsce pod ochroną!!!

Sąsiedzi

Czy wiesz, że bociany lubią mieszkać na wsi, blisko rzek, jezior i stawów? Uwielbiają łąki, pastwiska i lasy.

Czy wiesz, że żaby lubią tereny wilgotne, łąki, pastwiska, stawy. Są to te same tereny, które lubią bociany. Dlatego też żaby i bociany moża spotkać na tym samym obszarze.

Kotki dwa

A a a...
kotki dwa,
szare, bure
obydwa.
Nic nie będą robiły,
tylko dziecko bawiły.
Jak się kotki rozigrały,
to dziecinę kołysały.
Jeden szary, drugi bury,
a ten trzeci myk do dziury.
Żeby tylko jeden był,
to by z dzieckiem
mleczko pił.

Co wiemy o kotach?

Lew

Czy wiesz, że lew jest bardzo dużym kotem i jest nazywany „królem zwierząt”? Grzywa lwa świadczy o jego zdrowiu. Gęsta, bujna, duża grzywa jest cechą dorosłego, odważnego, silnego lwa i ciemnieje wraz z jego wiekiem.

Tygrys

Czy wiesz, że tygrys jest najpotężniejszym kotem. Może ważyć ponad 300 kg, a długość jego ciała osiąga 3 metry. Tygrys doskonale skacze i bardzo dobrze pływa.

Kot perski

Czy wiesz, że kot perski to najpopularniejsza na świecie rasa kota domowego? Koty perskie są spokojne, miłe, łagodne i nie lubią łowić myszy.

Tom i Jerry

Czy znasz historię Toma i Jerry’ego? Tom (kot) całymi dniami próbuje złapać Jerry’ego (myszkę). Pogoń za myszką przysparza mu kłopotów. Kiedy Tom zmęczy się ściganiem myszki, robi to, co koty lubią najbardziej: udaje się na popołudniową drzemkę.

Siała baba mak

Siała baba
mak.
Nie
wiedziała
jak.
Dziadek
wiedział,
nie
powiedział,
a to było
TAK!

W ogródku

W ogródku możemy sadzić kwiaty, owoce lub warzywa. Jeżeli odpowiednio się nimi zaopiekujemy, będą duże, smaczne, soczyste i pełne witamin.

pomidor

kapusta

marchewka

groszek

rzodkiewka

ogórek

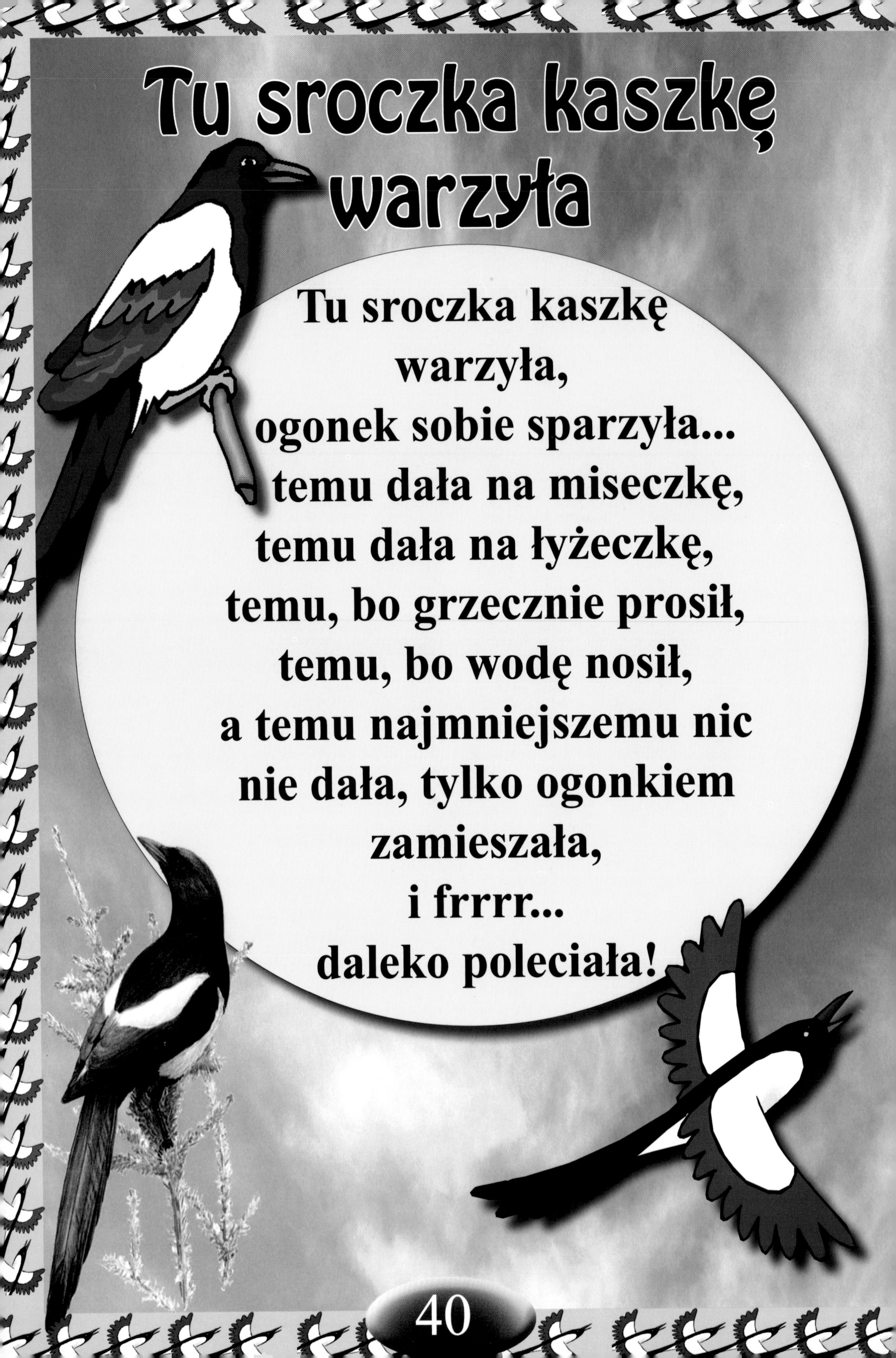

Tu sroczka kaszkę warzyła

Tu sroczka kaszkę
warzyła,
ogonek sobie sparzyła...
temu dała na miseczkę,
temu dała na łyżeczkę,
temu, bo grzecznie prosił,
temu, bo wodę nosił,
a temu najmniejszemu nic
nie dała, tylko ogonkiem
zamieszała,
i frrrr...
daleko poleciała!

Jakie znamy ptaki?

Bocian

Czy wiesz, że bocian nie unika ludzi? Można go spotkać nawet w samym centrum wsi. Lubi rejony z rozległymi dolinami rzekami i wilgotnymi łąkami.

Orzeł

Czy wiesz, że orły to ptaki drapieżne i bardzo lubią jeść mięsko? Niestety w Europie orzeł jest zagrożony wyginięciem i dlatego jest objęty ochroną. Biały orzeł, w złotej koronie, ze złotymi szponami i dziobem, zwrócony w prawo na czerwonym tle jest godłem Polski.

Papuga

Czy wiesz, że papugi potrafią naśladować różne głosy, nawet głos ludzki? Najlepiej udaje się to papugom: ara i żako. Papugi lubią mieszkać w miejscach ciepłych.

Kaczka

Czy wiesz, że kaczki są bardzo inteligentne? Są przewidywalne, ostrożne i podejrzliwe. Dorosłe kaczki uczą pisklęta pływania, bronią je i karmią. Kaczuszki rosną bardzo szybko, a kiedy mają miesiąc, uczą się latać.

Na górze róże

Na górze róże,
na dole fiołki,
my się kochamy
jak dwa aniołki!

Czarny baran

Gdzieżeś ty bywał, czarny baranie?
We młynie, we młynie, mościwy panie.
Cóżeś tam robił, czarny baranie?
Meł mąkę, mościwy panie.
Cóżeś tam jadał, czarny baranie?
Kluseczki z miseczki, mościwy panie.
Cóżeś tam pijał, czarny baranie?
Miodeczek i mleczko, mościwy panie.
Gdzieżeś uciekał, czarny baranie?
Hopsasa do lasa, mościwy panie.

Panie Janie

Panie Janie,
Panie Janie,
Rano wstań,
Rano wstań,
Wszystkie dzwony biją,
wszystkie dzwony biją:
Bim bam bom
bim bam bom

Instrumenty muzyczne
Akoredon
Trójkąt
Gitara
Fortepian
Skrzypce
Bębny

Był sobie Król

Już księżyc zgasł i ludzie śpią. Sen zmorzył twą laleczkę, więc główkę złóż i oczka zmruż. Opowiem Ci bajeczkę.

Był sobie Król, był sobie Paź,
i była też Królewna.
Żyli wśród róż, nie znali burz,
Rzecz najzupełniej pewna.

Kochał ją Król, kochał ją Paź,
Królewską tę dziewoję,
I ona też kochała ich,
Kochali się we troje.

Lecz straszny los,
okrutna śmierć
W udziale im przypadła
Króla zjadł pies,
Pazia zjadł kot,
Królewnę myszka zjadła.

Lecz żeby
Ci nie było żal
dziecinko ukochana,
z cukru był Król,
z piernika Paź,
Królewna
z marcepana.

Iskiereczka
Z popielnika na Wojtusia
Iskiereczka mruga:
Chodź, opowiem Ci bajeczkę,
Bajka będzie długa.

Była sobie Baba Jaga,
Miała chatkę z masła
A w tej chatce same dziwy
Psst!
Iskierka zgasła.
Była sobie raz królewna,
Pokochała grajka,
Król wyprawił im wesele
I skończona bajka.

Idzie rak

Idzie rak, idzie rak
czasem naprzód
czasem wspak.
Idzie rak nieborak
jak uszczypnie,
będzie znak!

Miauczy kotek

Miauczy kotek: miau!
– Coś ty kotku chciał?
– Miałem ja miseczkę mleczka,
Teraz pusta jest miseczka,
A jeszcze bym chciał, miau.

Wyszła kura na podwórze

Wyszła kura na podwórze,
spodobało się tam kurze.
Na podwórzu dużo kurzu,
piórko, trawka i sadzawka...
Kamyk, kwiatek i dżdżownica
- jaka piękna okolica...
Drapu drap jedną z łap,
jest robaczek, to go cap!
Drapu drapu łapką w kurzu,
jak tu pięknie na podwórzu!

Podwórze

Na podwórzu jest bardzo dużo pracy. Gospodarz potrzebuje pomocy. Policz kury i powiedz gospodarzowi, ile ich jest.

Kosi, kosi łapci

Kosi, kosi łapci,
pojedziem do babci.
Babcia da nam mleczka,
a dziadziuś ciasteczka.

Kosi kosi łapci,
pojedziem do babci.
Babcia da nam serka,
a dziadziuś cukierka.

Kosi kosi łapci,
pojedziem do babci.
Babcia da kiełbaski,
a dziadek okraski.

Kosi, kosi, łapci,
pojedziem do babci.
A od babci do taty,
jest tam piesek kudłaty.
A od taty do mamy,
da nam kubek
śmietany.

Pieski dwa

Pieski małe dwa chciały przejść przez rzeczkę,
Nie wiedziały jak, znalazły kładeczkę,
Kładka była zła, skąpały się pieski dwa.
Si bon, si bon, la, la, la, la, la.

Pieski małe dwa poszły raz na łąkę,
Zobaczyły tam czerwoną biedronkę,
A biedronka ta mnóstwo czarnych kropek ma.
Si bon, si bon, la, la, la, la, la.

Pieski małe dwa wróciły do domu,
O przygodzie swej nie rzekły nikomu,
Wlazły w budę swą, teraz sobie smacznie śpią.
Si bon, si bon, la, la, la, la, la.

Co wiemy o pieskach?

Wilk

Czy wiesz, że pies, najlepszy przyjaciel człowieka, pochodzi od wilka? Wilki są niezależne, silne, wytrwałe i bardzo lubią wędrować.

Najlepszy przyjaciel

Pies to najlepszy przyjaciel człowieka. Jest wierny, lojalny, oddany, zawsze gotowy do zabawy, ale też do obrony. Będzie przy Tobie zawsze, kiedy jesteś smutny lub chory i będzie codziennie czekał na Twój powrót ze szkoły.

Ratownik

Czy wiesz, że bernardyn to bardzo inteligentny pies, który pomaga w ratowaniu ludzi? Jest posłuszny, spokojny, czujny i gotowy do pomocy w razie niebezpieczeństwa.

Lassie

Jednym z najsławniejszych psów na świecie jest Lassie (owczarek collie), która przebyła bardzo długą, męczącą i niebezpieczną drogę, aby odnaleźć swojego właściciela.

Idzie kominiarz
Idzie kominiarz po drabinie
po drabinie,
Fiku miku - już w kominie!

Przesądy mówią, że widząc kominiarza, należy jak najszybciej złapać się za guzik, wtedy taki kominiarz może przynieść szczęście.

Biedroneczka

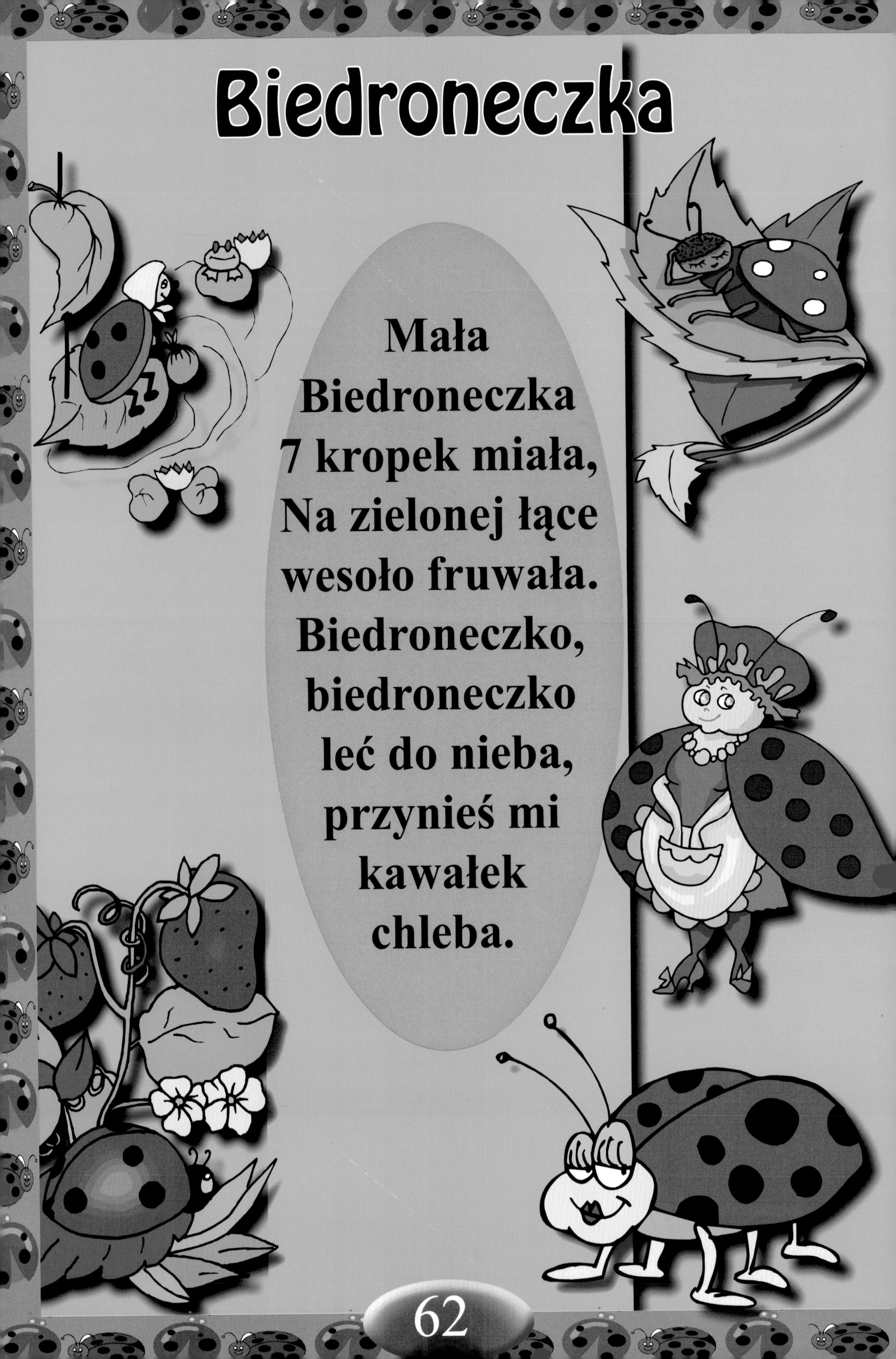

Mała
Biedroneczka
7 kropek miała,
Na zielonej łące
wesoło fruwała.
Biedroneczko,
biedroneczko
leć do nieba,
przynieś mi
kawałek
chleba.

Ile kropek ma biedronka?

jedna kropka

dwie kropki

trzy kropki

cztery kropki

pięć kropek

sześć

siedem

Idzie ścieżką miś

Idzie ścieżką miś,
Koszyk trzyma
w łapkach.
Gdzie idziesz
misiu?
Do sadu po
jabłka.
Czerwone
dam Basi,
złociste
Marysi,
zielone
dla Joli,
żółte dla
Krysi.

Entliczek, pentliczek

Entliczek, pentliczek
Czerwony stoliczek.
Na kogo wypadnie -
na tego - bęc!

W moim pokoiku jest

okienko
z kwiatkami,
na którym lubi
siedzieć mój
kotek

lampka

lusterko

krzesełko

szafka
nocna

łóżeczko

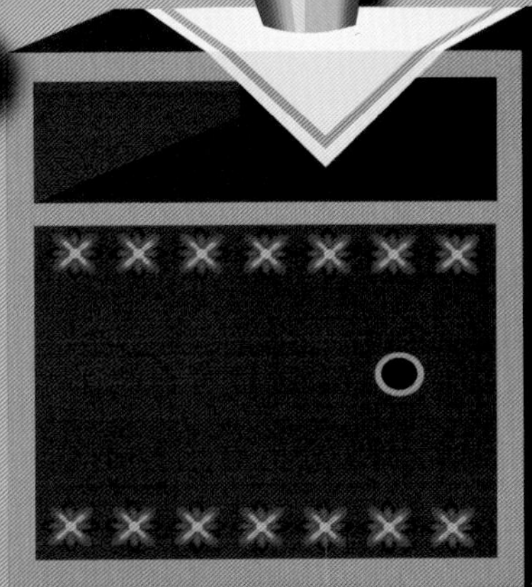

Żołnierzyki

Co za hałas,
Co za krzyki,
Maszerują żołnierzyki,
Wszystkie pięknie malowane
Żołnierzyki ołowiane.

Żuraw

Raz na wiatrak żuraw siadł
jak na karuzelę.
Popatrzył przez okienko,
Co się w młynie dzieje.
Koza mąkę miele,
Kozioł podsypuje,
a maleńki koziołeczek
worki zawiązuje.

Wlazł kotek na płotek

Wlazł kotek na płotek i mruga,
ładna to piosenka, niedługa.

Nie długa, nie krótka,
lecz w sam raz, zaśpiewaj, koteczku,
jeszcze raz.

do re mi fa sol la si do

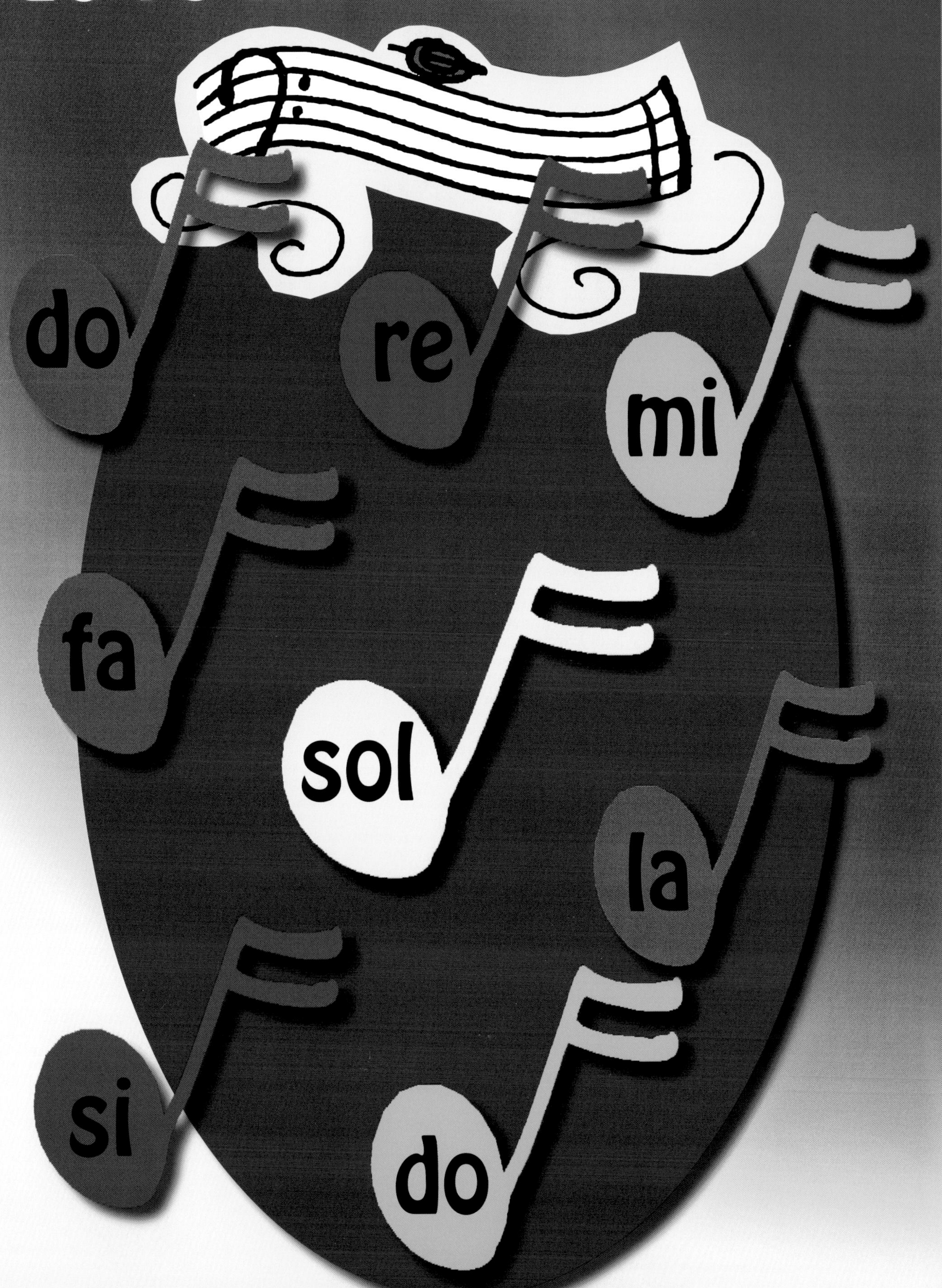

Aa-a, kotki dwa
szare bure obydwa.
Jeden duży, drugi mały,
oba mi się spodobały.

Aa-a, kotki dwa,
szare bure obydwa,
nic nie będą
robiły,tylko
Elę bawiły.

Kot i kotek

duży kot

mały kotek

Mruczy, miauczy i ma wąsy,
Poluje na kropel pląsy
Prosi ładnie Cię o mleczko
Zrzucił z półki pudełeczko

malutki
koteczek

Były sobie kurki trzy

Były sobie kurki trzy
i gęsiego w pole szły.
Pierwsza z przodu,
za nią druga,
trzecia z tyłu oczkiem mruga.
I tak sobie kurki trzy,
raz dwa, raz dwa
w pole szły.

1 2 3

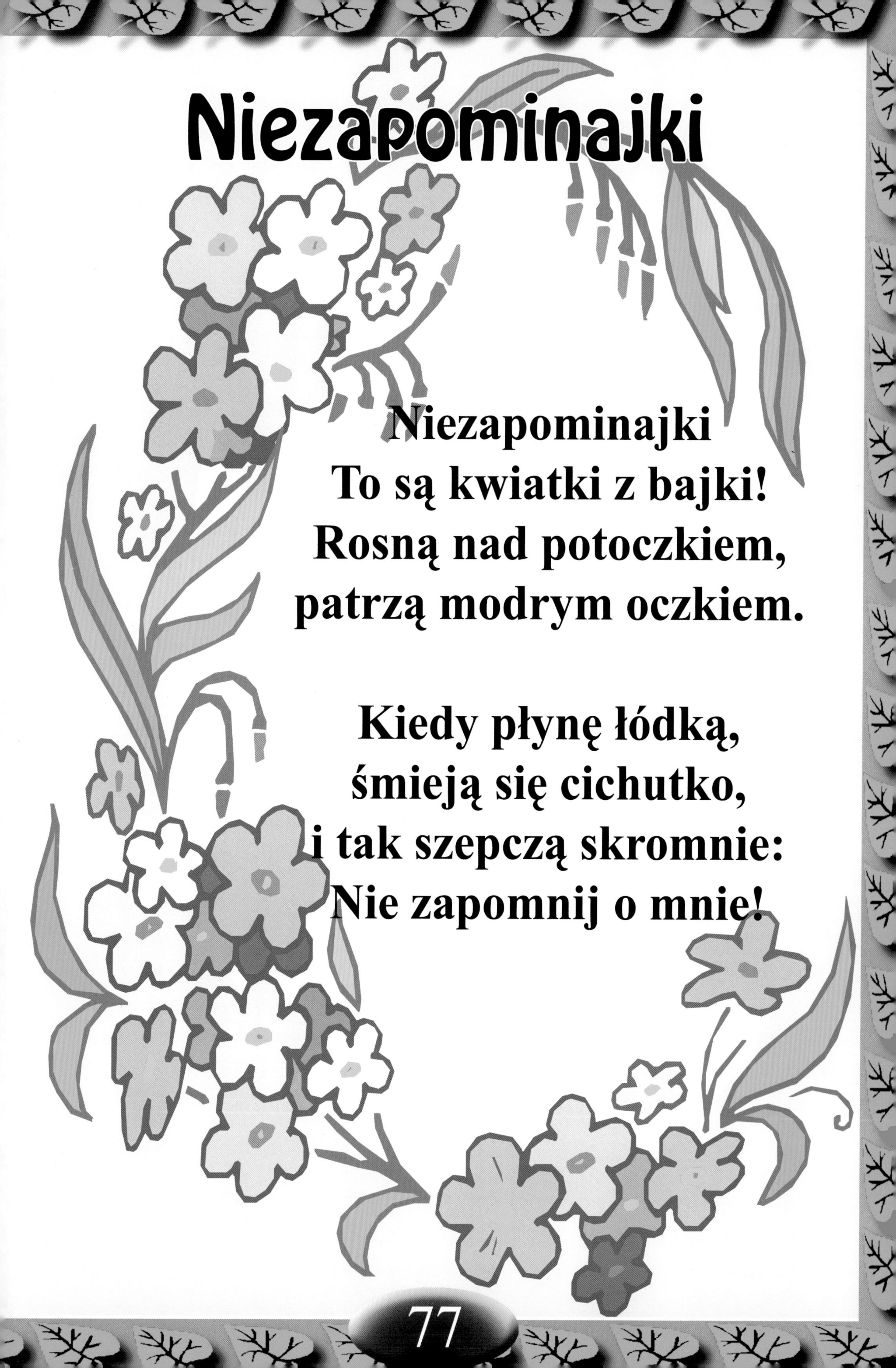

Niezapominajki

Niezapominajki
To są kwiatki z bajki!
Rosną nad potoczkiem,
patrzą modrym oczkiem.

Kiedy płynę łódką,
śmieją się cichutko,
i tak szepczą skromnie:
Nie zapomnij o mnie!

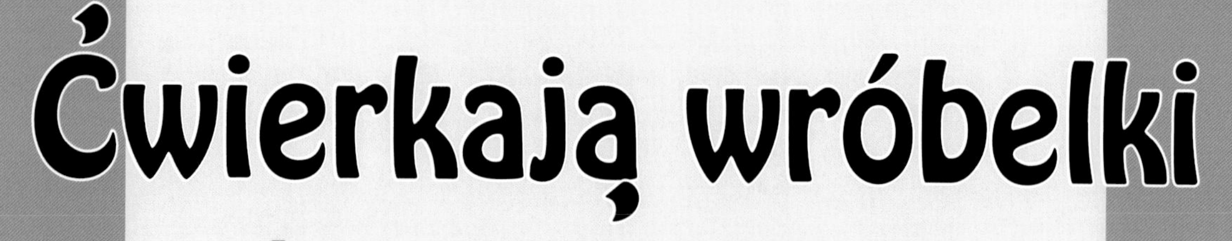

Ćwierkają wróbelki

Ćwierkają wróbelki
od samego rana:
ćwir, ćwir
dokąd idziesz,
Marysiu kochana?
Ćwir, ćwir
dokąd idziesz,
Marysiu kochana?

A Marysia na to,
śmiejąc się wesoło:
szkolny rok się zaczął,
więc idę do szkoły.

Czy wiesz, że

Papuga

Czy wiesz, że papugi są towarzyskie, a większość świetnie się wspina? Ich ulubionym pokarmem są nasiona, owoce, jagody, orzechy i nektar.

Sowy

Czy wiesz, że sowy przystosowały się do polowania nocą i o zmroku? Mają bardzo dobry wzrok i doskonały słuch. W dzień odpoczywają.

Łabędzie

Czy wiesz, że łabędzie mają bardzo długą szyję, a nogi krótkie z długimi palcami? Żywią się trawą i roślinami. Pływają i latają bardzo szybko.

Paw

Czy wiesz, że paw jest bardzo barwny? Głowa, szyja i brzuch są błękitne, z połyskiem, na głowie czub z piór tworzący koronę, grzbiet zielony z połyskiem, skrzydła brązowe z barwnymi prążkami.

Stary Donald

Stary Donald farmę miał.
Ija, ija, o!
Na tej farmie kurki miał.
Ija, ija, o!
Kurki ko, ko, ko ko ko!

Stary Donald farmę miał.
Ija, ija, o!
Na tej farmie gąski miał.
Gąski gę, gę, gę gę gę!

Stary Donald farmę miał.
Ija, ija, o!
Na tej farmie świnki miał.
Świnki kwi, kwi, kwi kwi kwi!

Stary Donald farmę miał.
Ija, ija, o!
Na tej farmie krowy miał.
Ija, ija, o!
Krowy mu, mu, mu mu mu!

Stary Donald farmę miał.
Ija, ija, o!
Na tej farmie owce miał.
Ija, ija, o!
Owce be, be, be be be!

Stary Donald farmę miał.
Ija, ija, o!
Na tej farmie kotka miał.
Ija, ija, o!
Kotek miau, miau, miau miau miau!

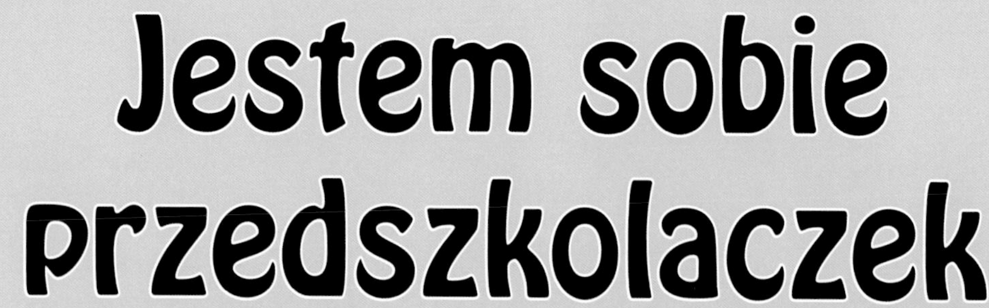

Jestem sobie przedszkolaczek

Jestem sobie przedszkolaczek,
nie grymaszę i nie płaczę.
Na bębenku marsza
gram - ram tam tam!
Mamy tu zabawek wiele,
razem bawić się weselej,
kolegów dobrych
mam - ram tam
tam!

**Mamy klocki,
kredki, farby,
to są nasze
wspólne skarby,
bardzo dobrze
tutaj nam -
ram tam tam!
Kto jest beksą
i mazgajem,
ten się do nas
nie nadaje!**

Zła zima

**Hu hu ha! Hu hu ha! Nasza zima zła!
Szczypie w nosy, szczypie w uszy,
mroźnym śniegiem w oczy prószy,
wichrem w polu gna! Nasza zima zła,
nasza zima zła! Hu hu ha! Hu hu ha!
Nasza zima zła! A my jej się nie boimy,
dalej śnieżkiem w plecy zimy, niech
pamiątkę ma. Nasza zima zła!**

Zima

Zima, zima, zima,
pada, pada śnieg.
Jadę, jadę w las saniami,
sanki dzwonią dzwoneczkami:
dzyń, dzyń, dzyń.
Jaka pyszna sanna, parska
raźno koń, śnieg umyka pod
płozami, sanki dzwonią dzwoneczkami: dzyń, dzyń,
dzyń.

Murzynek malutki

Murzynek malutki
oczka ma błyszczące.
Kręcą mu się włoski,
kędziorki sterczące.
Buzia cała czarna,
jak ta czekolada,
mały nasz Murzynek
po murzyńsku gada.
Fili-mili la Fili-mili la.
Chodź do nas Murzynku,
podaj rączki obie.
Zrobimy kółeczko,
zatańczymy sobie.
Kręci się kółeczko.
Jak się zabawimy
wypijemy mleczko.
Fili-mili la...

Afryka

Słoń afrykański

Słoń afrykański to największy ze współcześnie żyjących gatunków ssaków lądowych. Bardzo dobrze czuje się w grupie. Zamieszkuje afrykańską sawannę, lasy i stepy od południowych krańców Sahary po północną część Afryki.

Żyrafa

Żyrafa to najwyższe z żyjących obecnie zwierząt. Zamieszkuje afrykańskie sawanny. Przednie nogi żyrafy są bardzo cienkie i długie, dłuższe od tylnych. Żyrafy osiągają wzrost do ponad 5 metrów i wagę ponad 1300 kilogramów.

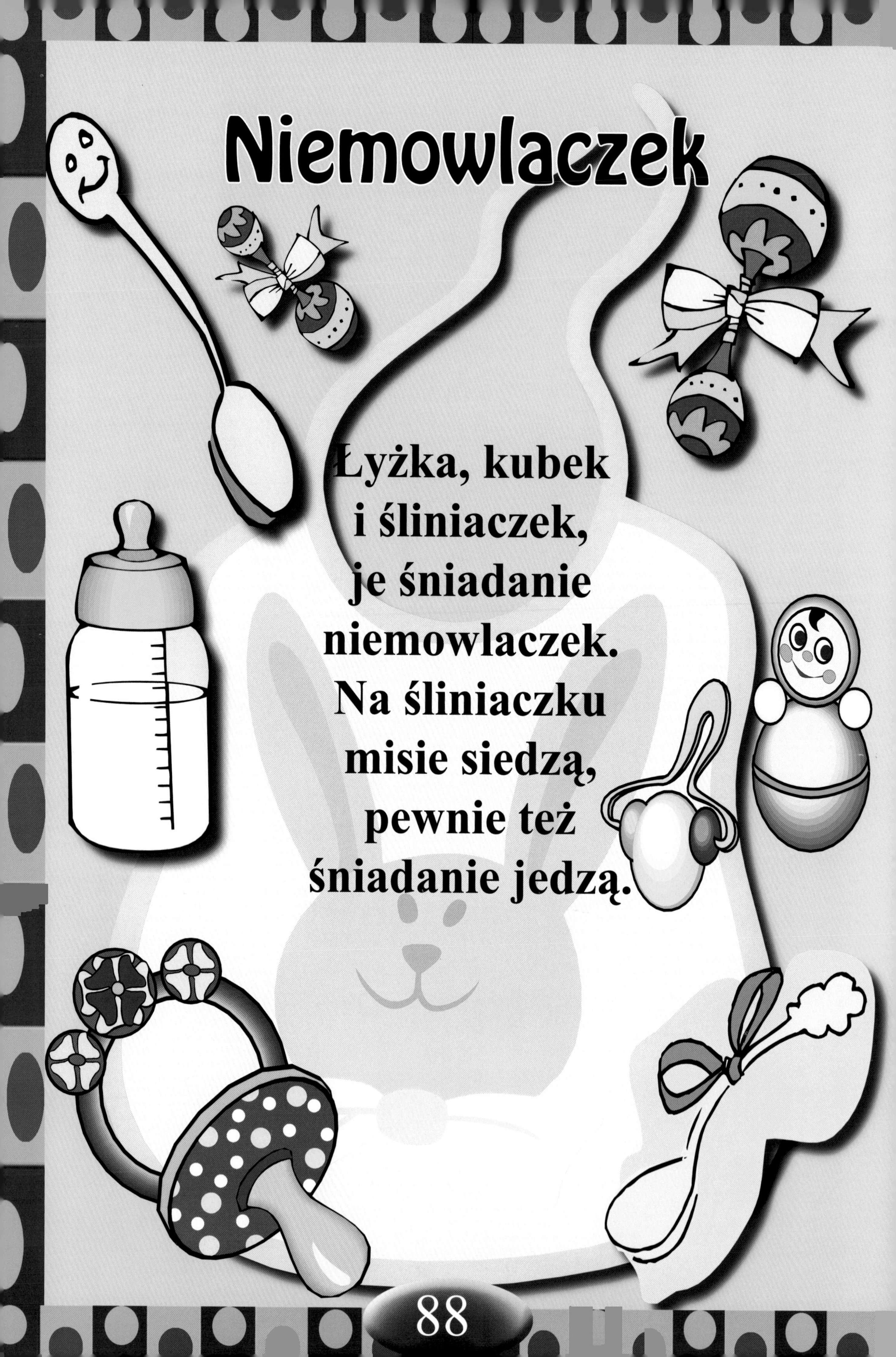

Niemowlaczek

Łyżka, kubek
i śliniaczek,
je śniadanie
niemowlaczek.
Na śliniaczku
misie siedzą,
pewnie też
śniadanie jedzą.

Bocian

Po łące wędruje w czerwonych bucikach.
Gdy go żabka dojrzy, czym prędzej umyka.
Czarne skrzydła, dziób czerwony, śpiewak
z niego słaby. Kiedy leci, idzie, stoi, milkną
wszystkie żaby.

Rzeczka

Płynie, wije się rzeczka
Jak błyszcząca wstążeczka
Tu się srebrzy, tam ginie
A tam znowu wypłynie.

Dzik jest dziki
Dzik jest dziki,
dzik jest zły,
dzik ma bardzo
ostre kły.
Kto spotyka
w lesie dzika,
ten na drzewo
zaraz zmyka.

Zwierzątka

W chlewiku mieszka świnka,
co ryjkiem trąca drzwi,
ja mówię: jak się miewasz,
a ona: kwi, kwi, kwi.

Przy budzie trzy szczeniaczki,
podnoszą wielki gwałt,
ja mówię: cicho
pieski,
a one:
hau,
hau,
hau.

Na drzewie siedzi wrona,
co czarne skrzydła ma,
ja mówię jej dzień dobry,
a ona kra, kra, kra.
W zagrodzie
chodzi kaczka,
co krzywe nóżki ma,
ja niosę jej jedzenie,
a ona kwa, kwa, kwa.

Kotek

Warszawa – tam jest zabawa,
W tym mieście wielki rwetes i wrzawa.
Tłum ludzi chodzi tam i z powrotem,
Nikt nie ma czasu bawić się z kotem.
A kotek mały siedzi pod płotem,
Ludzie przechodząc, chlapią go błotem.
Martwi się kotek – Co ze mną będzie?
Czy ktoś z pomocą do mnie przybędzie?
Wracał ze szkoły chłopiec malutki.
Patrzy – pod płotem kotek śliczniutki.
Chłopiec od dawna marzył o kotku,
O tym, by dać mu mleka na spodku.
Zabrał więc kotka szybko i sprawnie.
W domu go kocem otulił dokładnie.
Kotek szczęśliwy mruczy cichutko,
Bo mu w tym kocu bardzo cieplutko.

Adam Korzeń

Pamiętajmy, że nie wolno krzywdzić zwierząt. One czują tak samo jak my. Jeżeli widzimy opuszczonego na ulicy kotka lub pieska, musimy poinformować o tym rodziców lub opiekunów. Oni z pewnością podejmą odpowiednie kroki, aby pomóc zwierzątku.

Polska

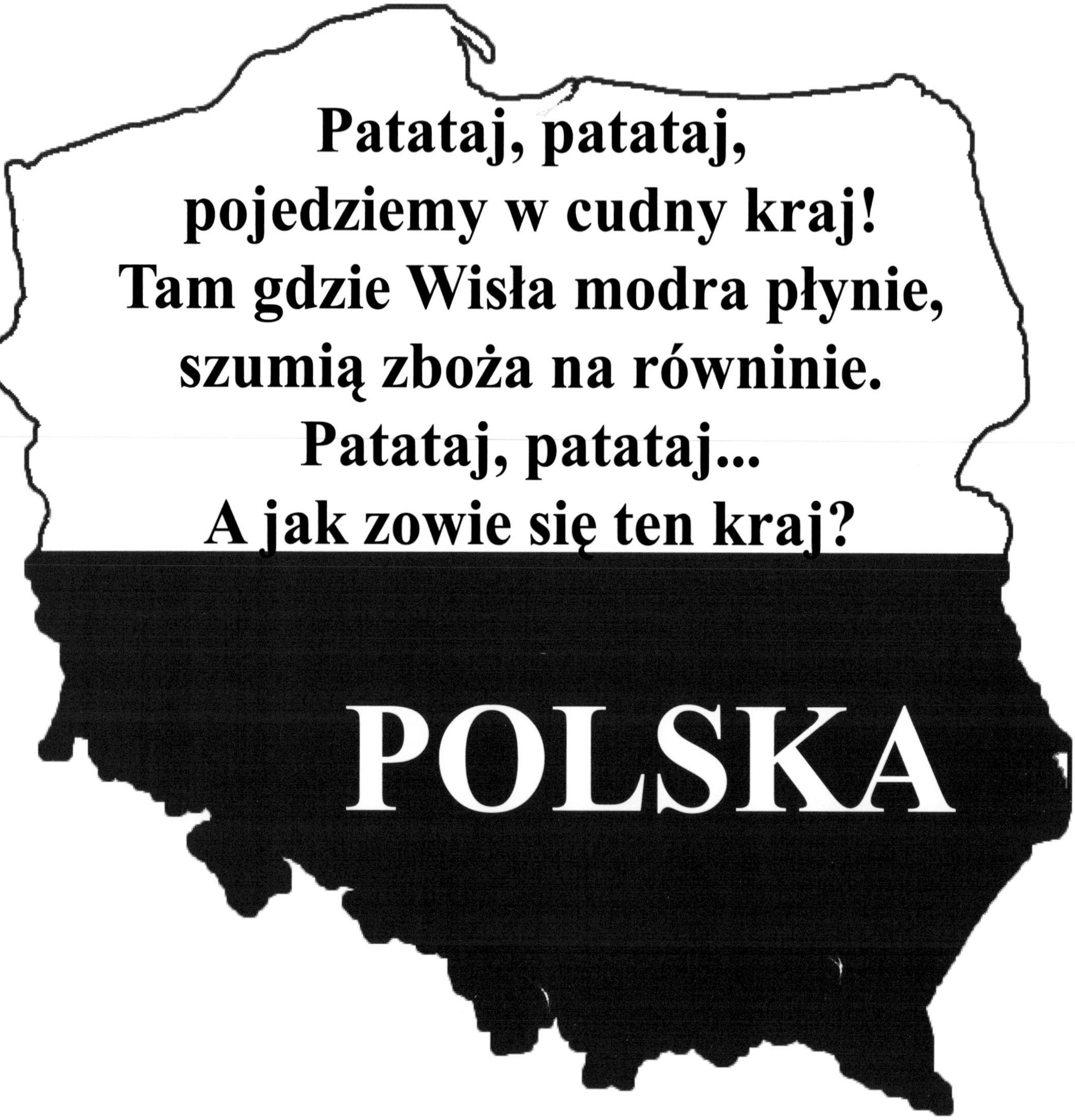

Patataj, patataj,
pojedziemy w cudny kraj!
Tam gdzie Wisła modra płynie,
szumią zboża na równinie.
Patataj, patataj...
A jak zowie się ten kraj?

POLSKA

Polskie krajobrazy

Kraków

Warszawa

Białystok

Tatry

Spis treści

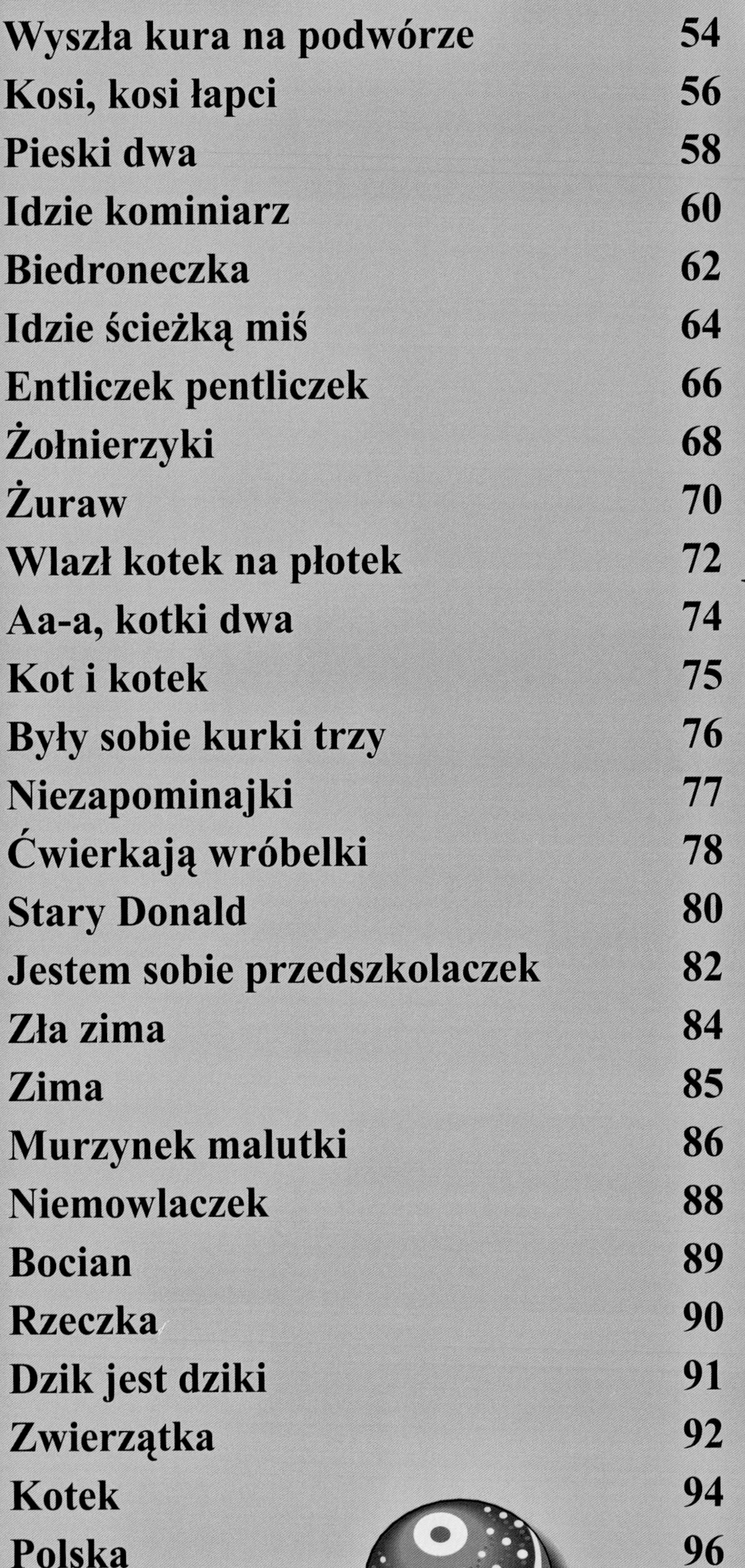

Tytuł oryginału: Moje polskie rymowanki

Projekt: Elżbieta Gontarska
Ilustracje: SNJ Agency
Projekt okładki: Christakis Akhtar
Projekt gra□czny: Christakis Akhtar, Elżbieta Gontarska

ISBN 978-83-61704-27-0

Dystrybucja:
MARTEL
ul. Godebskiego21
62-800 Kalisz
tel. 062 753 20 29,
kom. 0 601 069 527,
fax 062 764 40 43
e-mail: fk.martel@op.pl
www.martel-ksiazka.pl

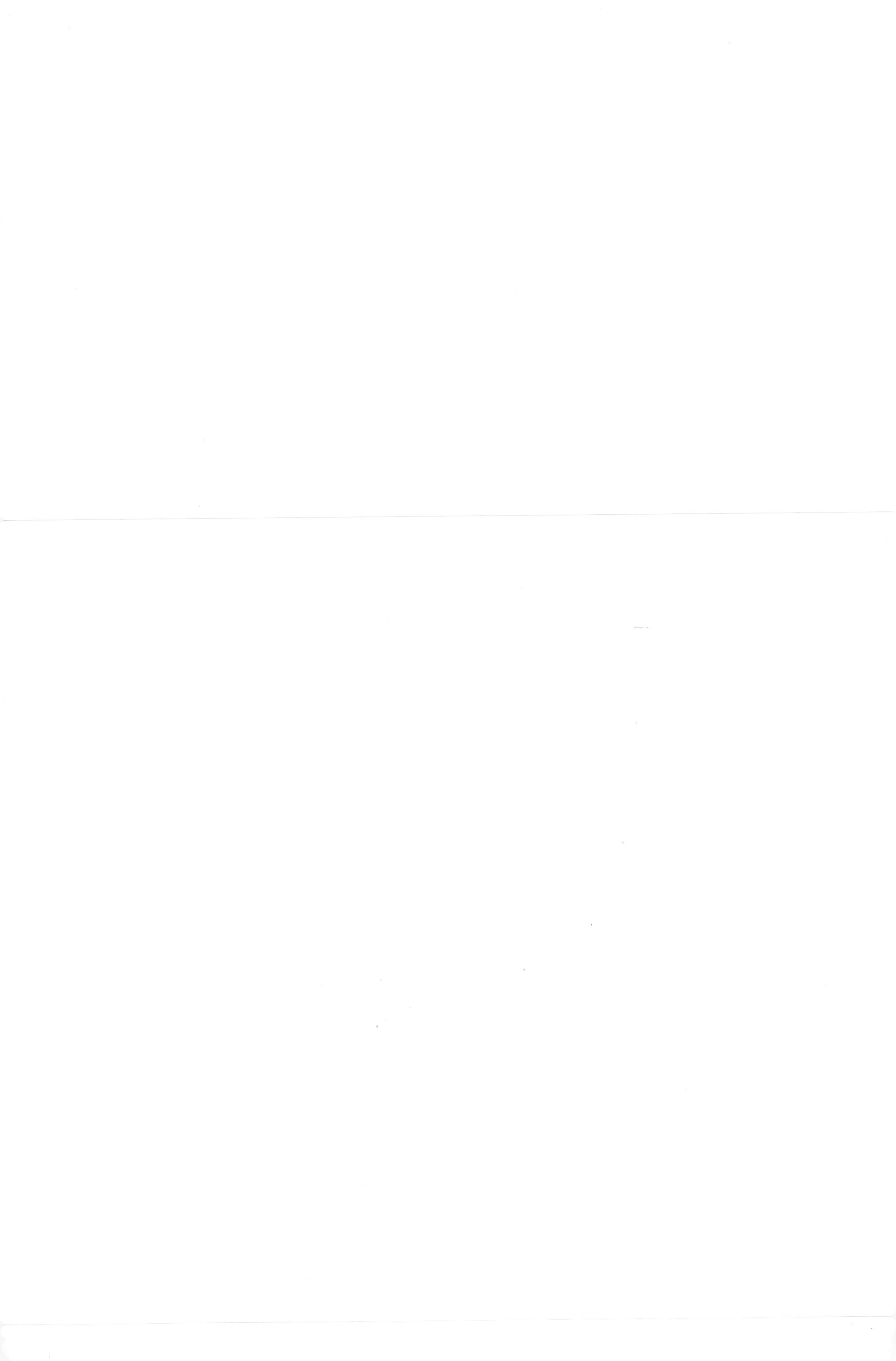